Panique chez les orangs-outans

L'auteur : Jean-Marie Defossez est né en Belgique en 1971. Il vit aujourd'hui en France. Docteur en zoologie et engagé depuis toujours dans la protection de l'environnement, il est convaincu que ce sont les enfants qui permettront d'arrêter l'actuel saccage de la nature, qui est pourtant notre grande maison à tous. C'est pourquoi il écrit et propose des miniconférences pour sensibiliser la jeunesse. Avec cette série qui permet de se glisser dans la peau et le ressenti des animaux, il invite les lecteurs à devenir défenseurs et porte-parole de tous les êtres vivants. Chez Bayard Jeunesse, il est notamment l'auteur de *Attention, fragile !* et *Mon aventure sous la terre*, dans la collection « J'aime lire ».

L'illustratrice : Diane Le Feyer est illustratrice pour la presse enfantine depuis bientôt dix ans. Elle travaille également dans les univers du dessin animé, des séries télévisées et de la publicité, en France, au Royaume-Uni et en Irlande. Pour Bayard Jeunesse, elle a illustré plusieurs novellisations de dessins animés, dont *Mark Logan* (collection Estampillette).

Dépôt légal : octobre 2013
ISBN : 978-2-7470-4720-3

Loi n° 49-956 du 16 juillet 1949 sur les publications destinées à la jeunesse

Panique chez les orangs-outans

Jean-Marie Defossez

Illustrations de Diane Le Feyer

bayard jeunesse

Nous sommes en 2100.

Depuis deux cents ans,
les humains détruisent la nature.

Dans son laboratoire,
le professeur Groscerveau a décidé d'agir.

Il a engagé Noé et Lisa, et a créé
la combinaison bionautique,
qui leur permet de se transformer
en animal ou en végétal.

Grâce à cette formidable invention,
ces deux enfants de dix ans
sont devenus d'incroyables agents
secrets, à la fois défenseurs des animaux
et explorateurs de la nature.

Ils sont surnommés « **les Bionautes** ».

Salut !

Je m'appelle **Lisa** *et c'est moi qui vais vous raconter ce formidable périple au côté des orangs-outans. La nature est ma grande passion et, lorsque le professeur m'a proposé de devenir Bionaute, je n'ai pas hésité ! D'ailleurs, je ne suis pas la seule à travailler pour lui...*

Noé

Mon coéquipier est un peu maladroit, mais c'est un formidable enquêteur, qui a un flair incroyable. Aucune énigme ne lui résiste ! Je me demande parfois s'il n'est pas un peu amoureux de moi...

Le professeur Groscerveau

C'est le génial inventeur de la combinaison bionautique qui nous permet de nous métamorphoser, et certainement le meilleur ami de la nature. Son passé est assez mystérieux, ce qui ne l'empêche pas d'avoir mon entière confiance.

Miss Klay

L'assistante du professeur a un fort accent anglais et ses recettes de cuisine sont effrayantes. Mais elle est toujours aux petits soins pour Noé et moi, et nous l'aimons beaucoup.

Tank

L'énorme robot-majordome du professeur me fait parfois un peu peur, avec sa tête comme une boîte de conserve et sa voix métallique. Heureusement, jusqu'ici, il m'a toujours laissée entrer dans le laboratoire secret du professeur !

1
Reboisons !

– Lisa ? Tu m'apportes d'autres pots ?

Il y a cinquante ans, tous les arbres autour de la ferme de mon père ont été abattus. Nous avons décidé d'en replanter.

Je réponds :

– J'attache Brigand et j'arrive, papa !

Brigand, c'est mon cheval. Il tire la charrette sans problème. Avec lui, pas besoin de tracteur. Ensemble, nous avons déjà repiqué quatre cents jeunes arbres. Un jour, ils reformeront une forêt. Des écureuils, des sangliers, des chevreuils, des oiseaux et des insectes de toutes sortes y trouveront refuge. Ce sera le retour magique de la nature ! Rien que de l'imaginer, j'ai le sourire !

BIIIIP !

Chouette, et même chouette hulotte ! Mon alarme de Bionaute sonne. Je prends aussitôt l'appel. Le visage du professeur Groscerveau apparaît sur l'écran 3D.

– Lisa, bonjour ! Es-tu disponible ? J'ai besoin de toi pour une nouvelle opération sauvetage.

– J'arrive au galop, professeur !

Mon père se tracasse toujours un peu quand je pars en mission au bout du monde, cependant il a confiance en moi et m'encourage :

– File sauver la nature, ma chérie !

Je lui fais un bisou, saute en selle et crie :

– Yeah !

Brigand me ramène à la ferme aussi vite que le vent.

Le temps de le remercier en lui donnant un peu de foin, et je m'envole à bord de la navette que le professeur m'a construite. Elle est plus rapide qu'un T.G.V. Elle peut aussi devenir invisible. C'est utile, car l'existence des Bionautes doit rester secrète.

Le trajet ne dure que quelques minutes. J'amorce un virage hyper serré et atterris en douceur dans le jardin du professeur Groscerveau, situé près du célèbre château de Versailles.

Noé, mon coéquipier, habite de l'autre côté de Paris. Il vient de se poser, lui aussi, avec sa navette. Super !

– Salut, dis-je en lui déposant une bise sur la joue. Tu es arrivé vite !

– Le professeur avait l'air très pressé. J'ai décollé tout de suite.

– Le professeur est *toujours* pressé, fais-je remarquer.

– C'est vrai, répond Noé. S'il était un citron, il se serait déjà transformé en jus !

Tandis que nous rions de la plaisanterie, Tank, l'énorme robot-majordome de la maison, nous ouvre la porte.

– Vienbenue, Honé et Sila ! déclare-t-il après avoir vérifié nos identités. Vous nevez roup une vounelle simmion, je pussose ?

Manifestement, son programme de langage a toujours quelques problèmes... Je réponds en l'imitant :

– Asbomulent ! Nous nevons roup une vounelle simmion.

Nous entrons, empruntons l'ascenseur caché sous l'escalier, et aboutissons trente mètres sous terre, dans le laboratoire du professeur. Nous le trouvons en train d'observer avec attention l'écran 3D situé au centre de son bureau. Les images projetées, identiques à la réalité, sont celles de deux singes dans une forêt tropicale.

En nous voyant, le professeur s'exclame :

– Mes chers Bionautes ! Merci d'être venus si rapidement !

Il pointe un doigt vers les images et demande :

– Reconnaissez-vous cette espèce vivant en Indonésie ?

– Bien sûr ! répond Noé. Il s'agit d'une femelle orang-outan et de son petit.

J'ajoute :

– Ces grands singes appartiennent à la famille des hominidés, comme nous !

Le professeur confirme :

– En effet. Les orangs-outans sont nos très proches cousins. Hélas, cette parenté biologique n'a pas suffi à les protéger. Ces singes étaient cinquante mille au début des années 1900. Il en reste aujourd'hui moins de cinquante en liberté. N'est-ce pas scandaleux ?

Il frappe l'accoudoir de son fauteuil roulant avec colère et poursuit :

– Et le carnage n'est peut-être pas fini ! Observez bien cette jeune mère et son bébé. J'ai baptisé la grande « Nenek », et la petite « Sepupu ». Ces mots signifient « grand-mère » et « cousine » en indonésien. Nenek et Sepupu font partie du dernier groupe de femelles sauvages. Je les surveille depuis des semaines grâce à l'un de mes minisatellites.

Noé et moi scrutons les images avec attention. Nenek, la mère, passe de branche en branche avec une agilité étonnante. Sepupu l'accompagne en s'agrippant solidement à son cou. Cette petite est adorable. Ses yeux ronds et sa jolie frimousse donnent envie de la dorloter. De temps en temps, sa mère lui offre d'ailleurs une longue caresse.

– Tout semble parfait, constate Noé. Où est le problème ?

– Ces images datent d'hier, précise le professeur. Voici le même endroit, filmé ce matin...

Sur l'écran apparaissent subitement des pelleteuses, des tractopelles, des bulldozers, entourés de quelques bûcherons équipés d'énormes tronçonneuses. Ces hommes et ces machines coupent et saccagent toute la végétation.

Je m'écrie :

– Mais que font-ils ?

Le professeur Groscerveau explique, la gorge serrée :

– Il n'y a pas si longtemps, l'Indonésie était couverte d'une merveilleuse forêt tropicale, deux fois plus vaste que la France. Cette jungle très ancienne offrait nourriture et abris aux orangs-outans. Les humains n'ont cependant cessé de la détruire, pour la remplacer par des plantations industrielles de palmiers.

– Et c'est ce déboisement qui a entraîné la disparition des orangs-outans, devine Noé.

Le professeur acquiesce :

– Exactement. Aujourd'hui, tout ce qui reste de cette immense jungle est une colline large d'un kilomètre et longue de dix.

– Ces images proviennent de cet endroit !

Le professeur hoche la tête, tandis que Noé enchaîne :

– Et vous nous avez appelés afin que nous arrêtions ces machines...

– Oui et non, nuance le professeur. Les choses vont peut-être s'arranger. Je ne suis pas le seul à m'inquiéter du sort des derniers orangs-outans. Le cultivateur de palmiers de la région est un riche homme d'affaires, nommé Will Kitu. En échange d'une importante somme d'argent, de nombreuses associations de protection de la nature ont obtenu un accord : aussi longtemps que des orangs-outans vivront sur cette colline, les ouvriers de Will Kitu n'y couperont plus aucun arbre. La zone sera un peu comme une réserve naturelle.

– Voilà une merveilleuse nouvelle ! se réjouit Noé.

– Oui, mais c'est aussi une excellente publicité gratuite pour ce Will Kitu, souligne le professeur. Tous les journaux vont parler de lui comme d'un défenseur de la nature. Le problème, c'est que je ne suis pas certain qu'il dise la vérité.

Je fronce les sourcils et demande :

– Comment ça ?

– D'après M. Kitu, les machines que nous voyons travailler coupent des arbres qui ne sont pas *sur* la colline, mais *autour* de la colline. Il a juré de ne blesser aucun orang-outan et, au besoin, de les guider vers la réserve. Il n'empêche que, lorsque ces monstres d'acier sont entrés en action, un groupe de femelles était sur place. Elles ont complètement paniqué. À présent, la plupart se sont réfugiées au calme sur la colline. Sauf Sepupu et sa mère. Toutes deux ont disparu.

Le professeur nous fixe de ses yeux bleus et conclut :

– Je vous demande d'aller sur place, afin de découvrir ce qui leur est arrivé et de vérifier si l'accord signé par Will Kitu est bien respecté.

2
Indonésie en vue

Il n'y a pas un instant à perdre. Noé monte dans ma navette, et nous décollons en trombe ! Douze mille kilomètres séparent Paris de l'Indonésie. C'est un pays constitué de milliers d'îles. Les derniers orangs-outans sauvages vivent sur la plus étendue, nommée « Sumatra ». Pour l'atteindre, nous volons pendant seize heures. Heureusement, le pilotage automatique de la navette nous permet de nous reposer durant la nuit.

Au petit matin, je reprends les commandes. Je suis sidérée par le paysage que nous survolons. Le professeur a dit vrai : des champs de palmiers s'étendent à perte de vue. La jungle, qui abritait et nourrissait les orangs-outans depuis toujours, a disparu.

Noé me rejoint au poste de pilotage et s'exclame :

– J'aperçois la colline !

Une longue ligne d'un vert plus sombre vient en effet d'apparaître à l'horizon.

Quelques minutes plus tard, je zigzague au-dessus de cette jungle, à la recherche

d'un endroit où atterrir. Sitôt posés, nous nous précipitons hors de la navette. L'air extérieur est humide et chaud, et le spectacle qui s'offre à nos yeux est une merveille. Partout, des arbres magnifiques décorés de solides lianes, des fougères aux feuilles immenses, des fleurs aux parfums incroyables, des chants d'oiseaux...

Noé propose :

– Enfilons nos combinaisons bionautiques et transformons-nous en orangs-outans ! Ainsi, nous pourrons nous

déplacer en passant d'arbre en arbre. Ce sera plus pratique que de se frayer un chemin à pied à travers cette végétation !

Nous filons revêtir nos combinaisons. Elles ressemblent un peu à un vêtement de plongée, mais elles sont de couleur argenté et truffées d'éléments électroniques. C'est cette invention secrète du professeur qui nous permet de nous métamorphoser en animaux.

Tout en m'équipant, je préviens Noé :

– Ne te trompe pas : il existe deux espèces d'orangs-outans ; elles se ressemblent, mais leur langage est différent. Puisque nous sommes sur l'île de Sumatra, nous devons devenir des *Pongo abelii*.

Dès que je suis prête, je ressors de la navette. La commande de ma combinaison s'effectue par la pensée. Il me suffit de me concentrer sur ce nom savant, et mon cerveau reçoit aussitôt cette image :

Demande de métamorphose en :

Pongo abelii

Orang-outan de Sumatra

Hauteur : 0,9 mètre (femelle)

Poids : 45 kilogrammes (femelle)

Longévité : 60 ans

Options ? / Validation ?

Je pense : « Valider ! », et *VLOUF !* je me transforme en une jeune orang-outan.

C'est fantastique de pouvoir se métamorphoser ainsi. Cependant, il faut toujours un petit temps pour s'habituer à un nouveau corps. Voyons un peu ce qui a changé...

Je suis debout, c'est normal : les orangs-outans font partie des animaux qui peuvent tenir en équilibre sur leurs pattes arrière. Par contre, je suis obligée de garder les genoux un peu fléchis et écartés. Bigre, qu'est-ce que mes bras sont longs ! Ils touchent par terre ! Tiens... mes oreilles sont devenues plus sensibles : j'entends de très loin les insectes bourdonner. Je perçois mieux les odeurs, aussi. En revanche, ma vue est restée identique.

Attention, je vais essayer d'avancer... Oh, j'ai de drôles de pieds ! C'est marrant : le pouce est tellement éloigné des autres orteils que je peux saisir des objets sans difficulté ! C'est comme si j'avais deux mains de plus : pratique !

« Allô, Lisa ? Tu me reçois ? »

Nos bouches d'orangs-outans ne nous permettent pas de parler. Mais, grâce à nos combinaisons, nous pouvons communiquer par la pensée. Cela s'appelle « la télépathie ».

Je réponds :

« Oui, je t'entends, Noé. Où es-tu ? »

« Ici ! »

Je lève les yeux et sursaute. Mon coéquipier s'est transformé, lui aussi, et il a déjà grimpé sur une liane. Il est la tête en bas et se tient par... les pieds !

« Tadaaam ! fait-il. Après *Superman*, voici... *Quadrumane* : le héros à quatre mains ! Génial ! »

Je sais que les orangs-outans sont d'extraordinaires acrobates. Toutefois,

Noé devrait peut-être attendre d'être un peu plus habitué à son nouveau corps.

« Admire comme je suis fortiche ! poursuit-il. Je vais me suspendre par un seul pied ! »

Je tente de le mettre en garde :

« Tu ferais peut-être mieux... »

Aïe ! Trop tard, il vient de tomber comme un fruit mûr !

« Noé, ça va ? »

« Non..., gémit-il. Je crois que je me suis fait mal. »

« Au poignet ? »

« Non, à mon amour-propre ! »

Et il éclate de rire. Quel clown ! J'ai vraiment cru qu'il s'était blessé. À mon tour, je saisis la liane. Mes bras sont si puissants que j'y grimpe sans problème. Ce serait encore plus facile si je m'aidais de mes pieds : oh oui, quelle rapidité !

Arrivée en haut, je tends le bras gauche vers une branche, m'accroche, me balance, et *hop !* j'attrape la branche suivante avec ma main droite. J'enchaîne en saisissant un petit tronc, puis, à nouveau, une branche. Je peux ainsi passer d'arbre en arbre, à toute vitesse, sans toucher le sol. Ce mode de déplacement s'appelle « la brachiation ». À condition de ne pas avoir le vertige, c'est rapide et... TROP COOL ! Si nous allions tous à l'école de cette manière, il n'y aurait plus d'embouteillages ! Dans la jungle, c'est très utile pour éviter de se faire attaquer par les serpents et les panthères, qui chassent surtout à terre.

Noé s'empare d'une liane et me rejoint.

« Nom d'un éléphant, me voilà devenu plus habile que Tarzan ! » se réjouit-il.

Et il se lance dans de nouvelles acrobaties impressionnantes. Je l'observe, amusée par ses pitreries.

« Attention à ton amour-propre ! » dis-je.

À présent que nous avons bien ri et que nous sommes capables de nous déplacer avec habilité dans la forêt tropicale, nous devons partir à la recherche de Nenek et Sepupu.

3
Un paradis en sursis

Noé et moi nous enfonçons dans la jungle. Tout en passant d'arbre en arbre, j'admire la nature exubérante qui nous entoure. Nous croisons des oiseaux aux couleurs chatoyantes, des papillons multicolores et d'autres insectes fantastiques. Il flotte dans l'air une délicate odeur de sous-bois. Pour les orangs-outans, cette forêt est un vrai paradis !

« Cette colline est vaste, fait remarquer mon coéquipier. À quel endroit Sepupu et sa mère pourraient-elles se trouver ? »

Je réfléchis et propose :

« Commençons par vérifier si elles n'ont pas enfin rejoint le groupe de femelles. Pour les repérer, il n'y a qu'à tendre l'oreille. Les mâles orangs-outangs vivent toujours à proximité et lancent plusieurs fois par jour des appels qui s'entendent à des kilomètres. »

Une série de *MOÛG, MOÛG, MOÛG !* s'élève justement dans le lointain.

Je m'exclame :

« Voilà : c'est un mâle qui appelle ! Le groupe est par là ! »

Ma combinaison n'a pas seulement changé mon aspect ; elle me permet également de penser comme un véritable orang-outang. Je comprends donc que, dans leur langage, ce long cri signifie : « Hou, hou, les filles ! Je suis là ! Regardez comme je suis fort ! » C'est marrant, car, dans ma classe, il y a plusieurs garçons qui ont à peu près le même comportement à chaque cours de sport...

Nous nous remettons en route, ou plutôt... en branches. À mesure que nous progressons, d'autres appels résonnent, de plus en plus puissants. Nous approchons ! J'aperçois tout à coup des silhouettes rousses, en partie cachées dans le feuillage des arbres dressés devant nous.

Noé s'enthousiasme :

« Incroyable ! Voici les dernières femelles orangs-outans sauvages de la planète ! »

Il a raison ; nous sommes vraiment chanceux de les rencontrer ! Je compte une dizaine de femelles adultes. Trois d'entre elles tiennent un bébé dans leurs bras. À côté d'elles, de jeunes singes jouent dans les branchages.

Les orangs-outans sont d'une intelligence surprenante. Par exemple, ils possèdent, comme nous, des règles de vie en société. Il ne suffit donc pas de leur ressembler pour avoir le droit de se glisser parmi eux.

Un jeune nous aperçoit et émet aussitôt un bruit qui ressemble à un long baiser grinçant. Pour des humains, ce son est rigolo. Mais, en langage orang-outan, il signifie : « Attention, quelqu'un vient nous déranger ! Je n'aime pas ça ! »

Les autres membres du groupe nous fixent à leur tour. Ils produisent de petits *Grumph, grumph !* qui veulent dire : « Ouste ! Ouste ! On ne vous connaît pas. » Aidés par notre instinct d'orang-outang, nous répondons par des répétitions de *Mmmh !* et de *Ohh !* qui, au contraire, sont des invitations à la paix et au jeu. Cela va-t-il fonctionner ?

Nous restons sans bouger durant plus d'une minute. Peu à peu, plusieurs jeunes viennent à notre rencontre. Tout à coup, ils se mettent à faire les fous, bondissant de liane en liane en poussant également des *Ohh !* et des *Mmmh !*

Ils nous souhaitent la bienvenue : c'est gagné ! Nous pouvons rejoindre le groupe et y chercher Nenek et Sepupu.

Hélas, nous avons beau regarder partout, les deux protégées du professeur restent introuvables.

Très tracassée, je déclare à Noé :

« Je ne comprends pas : si Nenek et Sepupu étaient toujours à l'endroit où les arbres viennent d'être coupés, le professeur les aurait repérées. Où sont-elles passées ? »

Mon coéquipier gratte son menton velu avant de répondre :

« C'est vrai. Mais nous devrions quand même aller jusque là-bas. Peut-être trouverons-nous en chemin des traces de leur passage ? »

L'idée est excellente. Je dis :

« Les machines travaillaient à l'extrémité nord de la colline. En route ! »

Nous quittons le groupe de femelles et, durant une heure, nous progressons à travers la colline en nous orientant grâce au soleil. Soudain résonne une série de craquements plus sourds que le tonnerre.

« Ce sont des troncs en train de tomber ! » s'écrie Noé.

Triple zut mince ! Comment cela est-il possible ? Le propriétaire de la palmeraie continuerait de déboiser les alentours de la colline ? En guise de confirmation, une odeur de gaz d'échappement vient nous piquer les narines.

Cinq minutes plus tard, nous avons atteint le chantier. Il se situe entre la colline et les interminables plantations de palmiers. Le vacarme y est infernal. L'air vibre du cliquetis incessant de plusieurs pelleteuses. Le grondement de leurs puissants moteurs se double des mugissements des tronçonneuses. Par endroits, il ne reste de la superbe jungle que des tas de racines et de branches enchevêtrées, que trois bull-dozers s'activent à aplatir. Tout autour, les pelleteuses en pleine action continuent leur saccage. Les arbres les plus âgés tentent de résister. Cramponnés au sol, ils tiennent tête à la furie des hommes. Les dents d'acier des tronçonneuses s'empressent hélas de mutiler leurs racines, et, dans un fracas déchi-rant, ils finissent eux aussi par s'écrouler.

J'en ai le corps qui tremble et le souffle coupé. C'est si triste, cette forêt en ruine, que j'ai envie de pleurer ! Noé aussi est bouleversé. Il murmure :

« C'était un paradis, et maintenant, on dirait un champ de bataille. »

« Oui, une bataille que la nature n'a aucune chance de gagner. »

« Tout ça parce que les planteurs de palmiers veulent gagner toujours plus, poursuit mon coéquipier. L'argent rend les gens fous ! Ils ont déboisé le pays sur des millions de kilomètres carrés. Ils auraient pu épargner ces quelques arbres en plus de ceux de la colline ! »

Je songe à la petite Sepupu, qui se trouvait à cet endroit deux jours auparavant. Je regarde ensuite la jungle massacrée et je m'exclame :

« Et si Sepupu et sa mère s'étaient cachées dans l'un de ces tas de bois au lieu de fuir avec les autres femelles ? Ensuite, les machines ont peut-être taillé des branches qui leur sont tombées dessus, et elles n'ont pas réussi à s'en dégager ! »

« C'est possible, reconnaît Noé. Cela expliquerait que le minisatellite du professeur ne les voie plus. »

Une chose est sûre : si Sepupu et sa mère sont bloquées sur ce chantier, elles sont en danger de mort. Nous devons d'urgence inspecter ces paquets de branches et de racines, avant que les bulldozers finissent de tout broyer.

Les bûcherons occupés nous tournent le dos. Seuls les conducteurs d'engins peuvent nous voir. Profitons-en !

Debout sur nos pattes arrière, les bras écartés pour maintenir notre équilibre, nous pénétrons dans la zone déboisée. Le sol est boueux et accidenté. Des moignons de racines sortent de partout. Nous progressons avec peine.

Tout à coup, Noé crie :

« Attention ! »

J'ai juste le temps de m'écarter. Une machine aplatit l'endroit où je me trouvais un instant plus tôt. Avec ce vacarme, je ne l'avais pas entendue arriver ! Le conducteur m'avait pourtant aperçue ; j'en suis certaine. Les planteurs de palmiers se fichent donc à ce point de blesser les orangs-outans ? C'est dingue !

« Nous allons nous faire transformer en crêpes ! prévient Noé. Retournons dans la jungle ! »

« Non, dis-je, il faut continuer. »

Je distingue soudain une minuscule main tendue sortant à peine d'un tas de souches enchevêtrées :

« Noé, viens vite ! J'ai trouvé quelque chose ! »

4
Puissance maximale

J'ai eu raison de ne pas renoncer malgré la menace des machines autour de nous. En hâte, je m'approche du tas de bois et pose mon index au creux de la petite main tendue. Les doigts se referment aussitôt. Je regarde entre les branches emmêlées et je discerne une frimousse.

Aucun doute, c'est Sepupu !

Par contre, sa mère ne semble pas être là. La pauvre petite me fixe d'un air suppliant en poussant de faibles gémissements très aigus. Avec ses quelques cheveux qui tiennent tout droit sur sa tête, et ses grands yeux noirs, brillants et remplis de douceur, elle est vraiment craquante. Je produis des sons de gorge, comme le font les mères orangs-outans pour rassurer leurs petits : *Glouk, glouk, glouk !*

Noé me rejoint en gesticulant :

« Lisa, un bulldozer arrive sur vous ! Il faut vous sauver en vitesse ! »

Tandis que la machine approche en rugissant, Noé et moi unissons nos forces pour soulever l'une des souches qui retiennent Sepupu prisonnière. Double zut, ce bout de bois pèse des centaines de kilos ! Impossible de le bouger... Le bulldozer n'est plus qu'à quelques mètres. Le conducteur nous a repérés ; il continue pourtant à pousser la terre, sans ralentir. Il va nous ensevelir !

Je clame :

« Noé, trouve-nous une solution ! »

Mon coéquipier propose :

« On pourrait se démétamorphoser. Ce n'est pas discret, mais, si nous retrouvons notre apparence humaine, le conducteur n'osera pas nous écraser. Enfin, je l'espère... »

Entretemps, la machine s'est immobilisée. Je pousse un soupir de soulagement :

« Regarde, le chauffeur descend même de sa cabine pour nous aider. »

« Nous aider à quoi ? rétorque Noé. À finir nos jours dans une cage ? »

« Pourquoi dis-tu cela ? »

« Parce qu'il cache un filet derrière son dos ! »

Zut, Noé a raison ! Les hommes sont vraiment devenus dingues, ici !

Je serre les poings et murmure :

« Puisque c'est comme ça, nous allons employer les grands moyens ! »

« Que vas-tu faire ? » s'inquiète Noé.

Sans prendre le temps de m'expliquer, je me dissimule derrière la souche et pense au nom savant *Dicerorhinus sumatrensis*. Ma combinaison bionautique envoie aussitôt cette image à mon cerveau :

Demande de métamorphose en :

Dicerorhinus sumatrensis

Rhinocéros de Sumatra

Longueur : 3 mètres

Poids : 750 kilogrammes

Longévité : 45 ans

Vitesse de pointe : 55 km/h

Options ? / Validation ?

Je valide, et *VLOUF!* je me transforme en un puissant rhinocéros!

« Lisa, tu es géniale! souffle Noé. Vas-y, mets toute la corne! Enfin... je veux dire: mets toute la gomme! »

Aussitôt, je plaque ma corne contre la souche qui emprisonne Sepupu, et je pousse de mes quatre pattes afin de la soulever à la force du cou. Outch! Qu'est-ce que ce morceau de bois est lourd! Je... j'y suis!

« Noé, dépêche-toi! dis-je. Je ne tiendrai pas longtemps! »

Vif comme l'éclair, mon coéquipier se faufile sous les énormes racines et ressort en tenant Sepupu dans ses bras.

Je demande:

« Aucune trace de sa mère? »

« Aucune. »

Alors, je peux lâcher. Il était temps: le conducteur est devant nous et il s'apprête à jeter son filet sur moi. Qu'espère-t-il faire avec un rhinocéros ? Le vendre à un zoo ? Soudain, deux autres travailleurs le rejoignent au pas de course. L'un d'eux tient une arme à feu ! Il faut déguerpir illico !

J'ordonne à Noé :

« Saute sur mon dos ! »

Sepupu accrochée à son cou, il bondit sur moi. J'attends qu'il s'agrippe et je fonce, corne baissée. Les branches cèdent sur mon passage. Je saute par-dessus un tronc couché, en contourne un autre... Le filet lancé me frôle la tête ! Nous ne sommes pas sauvés pour autant : il leur reste le fusil, et le sol irrégulier et boueux me ralentit. Sur ma gauche, j'aperçois une piste cailloutée. Par là, au moins, nous pourrons fuir au grand galop.

« Hé, la colline, c'est de l'autre côté ! s'alarme Noé. Tu nous emmènes droit dans la palmeraie ! »

« Je le sais, dis-je, mais il faut d'urgence nous mettre hors de portée de tir. Nous retournerons dans la jungle par un autre chemin, dès que nous aurons semé ces enragés ».

Je cours longtemps, de toute la force de mes pattes. Lorsque je m'arrête enfin, la colline n'est plus visible. Partout autour de nous se dressent de jeunes palmiers. Je fais encore quelques pas afin de nous éloigner de la piste. Puis je me presse de retrouver mon corps d'orang-outan et je prends Sepupu dans mes bras. Elle aussi a eu très peur. Son cœur bat à toute allure.

Comment peut-on causer du tort à une créature aussi innocente et mignonne ? Et qui est notre cousine, en plus ! C'est n'importe quoi !

Sepupu me dévisage un moment de ses grands yeux et, soudain, elle se blottit contre moi. À mon tour, je la serre et caresse sa petite tête. Je sais que les jeunes orangs-outans sont toujours en état de choc lorsqu'ils sont séparés de leur mère. Certains se laissent même mourir de chagrin. Le seul remède est de leur offrir beaucoup d'amour.

« Tu penses qu'elle a faim ? » demande Noé.

« C'est possible. Tu lui trouves quelque chose ? »

Noé désigne d'un bras les centaines d'arbres chargés de dattes qui nous entourent, et répond :

« Il n'y a qu'à se servir ! »

Il grimpe dans le palmier le plus proche, cueille une poignée de belles dattes rouges et redescend nous les offrir. Sepupu en saisit une, la renifle, la goûte du bout des lèvres et la jette à terre avec une grimace.

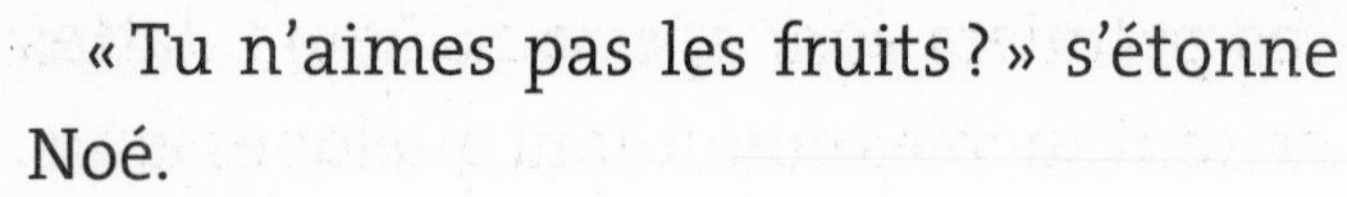

« Tu n'aimes pas les fruits ? » s'étonne Noé.

Pour donner l'exemple, je croque dans une autre datte, que je recrache aussitôt :

« Beurk, c'est amer ! C'est pour un truc aussi mauvais que l'on détruit la forêt ? »

« Je me souviens, maintenant ! déclare Noé. Je l'avais entendu dans une émission :

ces palmiers sont spéciaux. Leurs dattes ne sont sucrées que durant quelques jours. Après, elles fermentent et deviennent immangeables. Elles permettent par contre de produire l'huile la moins chère du monde. Cette huile sert à faire des pâtisseries bon marché, ou du carburant soi-disant écologique pour les voitures. Le problème, c'est que, pour planter ces palmiers à huile, les hommes suppriment la jungle. »

Je m'indigne :

« Saccager la forêt et tous ses habitants pour des biscuits et des autos ? C'est du joli ! À mon retour en France, je demanderai à mes parents de ne plus acheter de nourriture contenant de l'huile de palme. »

« Tu as raison, approuve mon coéquipier. En plus, c'est facile de reconnaître ces produits : c'est inscrit sur l'emballage. »

Toujours dans mes bras, Sepupu fixe le paysage avec des yeux hagards. Que pouvons-nous faire pour l'aider ?

« Tu crois que sa mère est encore en vie ? » questionne Noé.

Je soupire :

« Je ne sais pas. Les mères orangs-outans n'abandonnent jamais leurs petits. Elles préfèrent se faire tuer plutôt que de les laisser. »

Mon coéquipier réplique :

« On ne va tout de même pas baisser les bras ! Moi, je propose de continuer à la chercher. »

« D'accord, dis-je. Retournons à la colline. De toute façon, Sepupu doit manger, et c'est le seul endroit où nous trouverons de quoi la nourrir. Ici, il n'y a plus rien de bon pour les orangs-outans. »

5
Pas de répit !

Alors que nous retournons vers la colline en évitant la zone que les machines déboisent, un bruit de véhicule parvient à nos oreilles. Nous avons à peine le temps de nous cacher derrière un palmier à huile... *Pan ! Pan !* Deux détonations retentissent, et les balles frappent le tronc de plein fouet.

Noé s'écrie :

« On nous canarde ! Pourquoi ? Nous n'avons rien fait ! »

Je jette un coup d'œil et aperçois l'homme qui a tiré. Il est à bord d'un 4x4 marqué d'un logo. Je marmonne :

« On dirait un gardien. Il considère sans doute que nous abîmons la plantation. »

Noé proteste :

« Nom d'un calao, il ne manque pas de culot ! C'était la jungle, ici ! Ce sont les hommes, les intrus qui ont tout détruit ! »

« Oui, mais il ne semble pas être de ton avis ! Et nous sommes du mauvais côté du fusil. Alors, sauve-qui-peut ! »

Nous prenons la fuite en courant aussi vite que nos corps d'orangs-outans le permettent. Plusieurs balles sifflent encore. Par chance, la colline et sa forêt vierge ne sont plus très loin. Nous nous enfonçons dans l'épaisse végétation en pratiquant la brachiation, et nous semons sans peine le gardien.

« La vie des orangs-outans est devenue compliquée ! commente mon coéquipier en s'asseyant sur une branche pour souffler. Destruction de la forêt, filet, fusils... Qu'est-ce que les hommes vont encore inventer ? »

Tandis que Noé prend Sepupu sur ses genoux, je réponds, déterminée :

« Le déboisement doit s'arrêter immédiatement ! »

Je m'assieds à mon tour, et j'entends le ventre de la petite Sepupu émettre un long gargouillis.

« Elle est affamée, signale Noé. D'ailleurs, moi aussi, je grignoterais bien quelque chose. »

Les orangs-outans sont essentiellement végétariens. Poussé par la faim, mon coéquipier saisit une branche et croque dans les feuilles les plus tendres.

Je m'exclame :

« Attention ! Certaines plantes sont toxiques ! »

« Nom d'un héron, tu as raison ! fait-il. Comment reconnaître ce qui est comestible ? »

Je réponds :

« Normalement, les jeunes orangs-outans l'apprennent avec leur mère. Pendant plusieurs années, elle est un peu leur institutrice. »

Noé se met à rire :

« Tu veux dire qu'ils vont à l'école ? »

« Oui, à leur manière. Ils ont une foule d'autres choses à apprendre : par exemple, comment utiliser des outils pour attraper les termites et les fourmis, comment bâtir un nid pour la nuit, quels cris employer pour communiquer avec les autres... »

Noé me fixe un instant, puis déclare sur un ton admiratif :

« Tu es vraiment incollable sur les animaux ! Que pouvons-nous manger, alors ? »

« Eh bien, là, dis-je, j'avoue que je n'en sais rien. Aucun arbre ne ressemble à ceux que je connais en France. »

Nous examinons les espèces végétales qui nous entourent en ne sachant lesquelles choisir. Soudain, Sepupu quitte les jambes de mon coéquipier et lui grimpe sur la tête.

« Sepupu ! Qu'est-ce que tu fabriques ? proteste-t-il. Tu vas tomber ! »

Au lieu de l'écouter, elle s'étire jusqu'à saisir une branche et y décroche un fruit brun, en forme de poire, qu'elle croque aussitôt.

« Regarde cette petite maligne, reprend Noé. Elle a trouvé des figues ! Je reconnais les feuilles : il y a les mêmes dans mon jardin. Sa mère a dû lui apprendre à les manger ! »

Nous nous lançons dans une cueillette acrobatique. Ces figues sauvages sont plus parfumées et sucrées que des bonbons. Un régal ! En revanche, elles sont si petites qu'il faudrait en avaler des centaines pour être rassasié.

Sur ma gauche, un arbre portant des fruits énormes attire mon attention.

Je dis à Noé :

« Reste ici avec Sepupu ; je reviens. »

Je rejoins l'arbre en passant par les branchages et y cueille un fruit vert clair, plus gros qu'un ballon de basket, qui doit peser dans les vingt-cinq kilos ! Sa peau est bosselée, un peu comme celle d'un ananas. Malgré mes quatre mains, je peine à le ramener :

« Voilà le dessert ! »

« Oh ! s'exclame Noé, impressionné. Ce fruit-là, il vaut mieux ne pas être en dessous lorsqu'il tombe ! »

« C'est un jaque, le fruit du jaquier. Mon père en a déjà acheté un chez un vendeur de fruits exotiques. »

Je le déchire à mains nues et goûte la chair. Hum ! Le jus est aussi parfumé et sucré que du miel ! Noé, Sepupu et moi, nous nous régalons jusqu'à être repus.

Puis mon coéquipier s'allonge en caressant son ventre bien rempli :

« Que diriez-vous d'une petite sieste ? »

C'est oublier que les jeunes orangs-outans adorent jouer... À peine Noé a-t-il fermé les yeux que Sepupu lui saute dessus et lui montre toutes les pirouettes dont elle est capable ! Je suis heureuse de la voir aller mieux.

« Oh, mais moi aussi, je suis un acrobate ! » s'exclame Noé.

Deux minutes plus tard, ils s'amusent à se pourchasser. C'est tellement marrant que je ne résiste pas à l'envie de les rejoindre. Pour les animaux arboricoles, c'est-à-dire ceux qui vivent dans les arbres, la forêt est un véritable terrain de jeu. Il faut juste faire attention à ne pas dégringoler... N'est-ce pas, Noé ?

Nous montrons à Sepupu comment jouer à chat. Avec son aide, je parviens à coincer Noé. L'instant d'après, nous sommes toutes les deux sur lui.

« Et maintenant, les chatouilles de la mort ! » dis-je en grattouillant la plante de ses pieds.

Mon coéquipier se tortille en émettant une sorte de léger ronflement. Je demande, surprise :

« C'est quoi, ce bruit ? Tu grognes ? »

« Pas du tout, répond-il. Je rigole ! »

Est-il possible que des singes rient ? Profitant de mon étonnement, Noé se dégage et me chatouille à son tour. Aussitôt, je « ris », moi aussi, à la façon des orangs-outans. Ces singes sont vraiment épatants : ils communiquent entre eux, transmettent des connaissances à leurs petits, ils jouent, ils rient... Ils sont vraiment les cousins des humains !

Lorsque nous cessons de nous poursuivre, le jour touche à sa fin. Poussés par notre instinct, nous choisissons un lieu en hauteur pour y fabriquer un nid.

« Je ne suis jamais allé à l'école des orangs-outans, prévient Noé. Mais j'ai déjà construit une cabane dans les arbres ; je devrais y arriver ! »

D'abord, nous bâtissons un plancher en tressant des branches. Ensuite, nous le tapissons de feuilles pour faire un matelas. Je ramasse d'autres feuilles, qui serviront de couvertures et d'oreillers. Enfin, nous nous couchons, très fatigués par cette journée mouvementée. Sepupu vient se nicher entre nous. Je m'endors en rêvant que nous mangeons des fruits délicieux au cœur d'une forêt immense, sans hommes et sans tracas. Bref, je suis au paradis des orangs-outans !

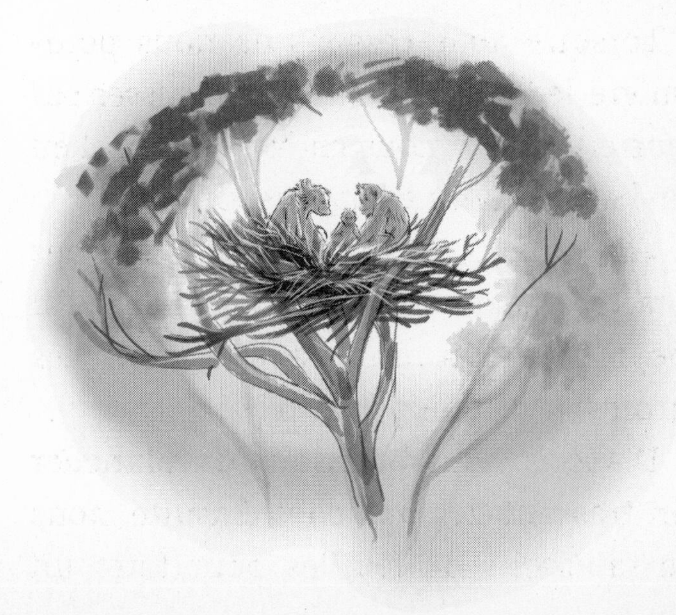

6
Chaud devant !

Je viens de me réveiller. La douce lumière de l'aurore filtre à travers les cimes des arbres. Les oiseaux emplissent l'air de chants exotiques. Noé, les bras en croix, dort encore à poings fermés. Sepupu ouvre ses yeux malicieux et pose une main sur mon visage. Je lis dans son regard un peu de tristesse d'être sans sa maman et, en même temps, une grande soif de vivre. Je lui murmure :

« Nous allons tout faire pour t'aider, petite Sepupu ! Je t'en donne ma parole ! »

Je repense au chantier et tends une oreille inquiète. Je ne perçois ni craquements ni bruit de tronçonneuse. Ouf ! Cela indique que les machines se sont enfin arrêtées. J'invite Sepupu à s'accrocher à mon cou, et nous prenons la direction du jaquier. Ses énormes fruits, mûrs à point, nous attendent pour un délicieux petit déjeuner.

Noé, éveillé à son tour, ne tarde pas à nous rejoindre. Soudain, ses narines palpitent, il renifle trois fois et pousse une série de *MOÛG, MOÛG, MOÛÛÛG !* tonitruants. Hurlé de cette manière, ce cri ne signifie plus : « Regardez comme je suis fort ! », mais : « Alerte ! Alerte ! ». Sepupu, terrorisée, se réfugie en haut d'une branche. Je gronde Noé :

« Tu es dingue, ou quoi ? Tu lui as fait peur ! »

« Désolé, c'est mon instinct d'orang-outan qui m'a emporté. Je viens de sentir un danger. Il se passe quelque chose d'anormal : les oiseaux ont cessé de chanter. »

Il hume à nouveau l'air et ajoute :

« Il n'y aurait pas comme une odeur de fumée ? »

Noé a toujours eu du flair. Nous grimpons jusqu'à la cime du jaquier pour scruter les alentours. Nous nous figeons d'effroi en apercevant, au bas de la colline, d'immenses rideaux de flammes qui tourbillonnent tels des diables. Poussé par le vent, cet incendie grimpe le flanc de la colline à plusieurs endroits.

« Nom d'un nandou, ce feu vient vers nous ! s'alarme mon coéquipier. Il y a aussi des flammes derrière. Nous allons être encerclés ! »

Noé saisit Sepupu, et nous fuyons, par les lianes les plus basses, vers le seul passage encore ouvert. Une fumée âcre, de plus en plus épaisse, nous enveloppe.

Mes yeux pleurent, ma gorge pique. Sepupu se met à tousser. Moi aussi, si fort que je n'arrive plus à avancer.

« Vite, Lisa ! crie Noé. Ne t'arrête pas ! »

Misère ! Les flammes sont toutes proches. Elles vont nous barrer le chemin ! Tout en luttant contre la toux, je regarde le couloir cerné de branches en feu qu'il nous faudrait emprunter. Il doit y régner une chaleur infernale.

Noé déclare :

« C'est devenu trop risqué de passer ! Métamorphosons-nous en taupes, on s'abritera dans le sol. Ou alors en oiseaux, et on s'envolera. »

Je rétorque :

« Et Sepupu, qu'est-ce que tu en fais ? »

Mon coéquipier en reste sans voix : il n'y avait pas pensé ! Et il est hors de question d'abandonner Sepupu dans cet enfer ! La situation est-elle désespérée ?

J'aperçois tout à coup un minuscule point d'eau, et il me vient une idée :

« Passe-moi Sepupu et suis-moi ! Nous allons passer... »

En vitesse, nous descendons jusqu'à la mare et nous y mouillons notre fourrure. Je repère ensuite l'endroit où le rideau de feu est le plus mince. Je saisis alors une longue liane. Je recule pour prendre un

maximum d'élan, et je me jette en travers des flammes !

Deux secondes et quelques poils roussis plus tard, Sepupu et moi roulons à terre. Notre fourrure humide nous a protégées ! Le feu est derrière nous.

Noé nous rejoint l'instant d'après.

« Ça a marché, se réjouit-il. Bravo, Lisa ! Sepupu est hors de danger ! »

« Mais son paradis est en train de brûler, dis-je. Si nous ne faisons rien, cet incendie va continuer de s'étendre et ravager tout le reste de la colline. »

« Qu'y pouvons-nous ? se désole mon coéquipier. Cet incendie est immense, même une armée de pompiers ne pourrait empêcher ces flammes d'avancer. »

Un éclair déchire soudain les nuages, tandis qu'un bruit de tonnerre retentit. Je lève les yeux et réponds :

« Des pompiers n'y arriveraient pas, mais la nature, si ! »

Sous les tropiques, les orages sont spectaculaires. Le temps de compter jusqu'à trois, et des seaux d'eau nous tombent dessus. Le feu, assommé par cette pluie diluvienne, est maîtrisé en moins d'une minute. J'en ris de bonheur à la façon des orangs-outans. Leur colline ne partira pas en fumée !

7
Un feu suspect

Il pleut à verse. Noé reprend Sepupu contre lui, et nous rejoignons un endroit où la végétation n'a pas brûlé. Nous nous abritons sous une plante aux feuilles immenses en attendant que l'averse cesse. Tout en caressant Sepupu, mon coéquipier murmure, sur un ton tracassé :

« Je me demande bien comment cet incendie a démarré... »

« Peut-être qu'il s'agit d'un accident, à cause du chantier ? »

Noé réplique :

« Dans ce cas, il n'y aurait eu qu'un seul départ de feu. Là, les flammes provenaient de plusieurs endroits différents. Elles nous ont d'ailleurs encerclés ! Mes poils roussis s'en souviennent encore ! »

Il cogite un moment en silence et ajoute :

« Je crois que cet incendie a été allumé exprès ! »

Les déclarations de Noé sont graves. Je rétorque, interloquée :

« Qui commettrait un acte aussi horrible ? Cette colline est la dernière zone où vivent les orangs-outans. En plus, le professeur nous a dit que le propriétaire des plantations de la région avait signé un accord. »

« J'ignore qui sont les responsables, souffle Noé. Mais je suis convaincu d'une chose : ils attendront un jour sans orage, et ils recommenceront. Ensuite, pour ne pas avoir d'ennuis, ils prétendront que c'était un accident de chantier, comme tu l'as supposé. »

Diable, et même diable de Tasmanie ! Pas question que nous les laissions détruire le dernier refuge naturel des orangs-outangs !

Je clame :

« Nous devons découvrir si quelqu'un a vraiment donné l'ordre d'allumer cet incendie. Et, si c'est le cas, il faut ramener des preuves au professeur afin que les coupables soient condamnés ! »

Noé m'adresse un sourire ravi et conclut :

« Ma très chère coéquipière, sans vouloir te singer, c'est exactement ce que j'allais te proposer ! »

Nous voilà donc partis pour mener l'enquête !

Nous commençons par nous rendre au bas de la colline, là où les flammes ont démarré. Les traces laissées par l'incendie ne laissent aucun doute : le feu a été allumé à quatre endroits différents, tous situés à la frontière entre la colline et la palmeraie.

Noé commente :

« Et, comme par hasard, le vent soufflait du bon côté pour que les cultures ne soient pas abîmées ! »

En effet, seuls quelques palmiers à côté du chantier ont été brûlés. Les bulldozers et les pelleteuses étaient rangés bien à l'écart, et n'ont subi aucun dégât. Noé avait donc deviné juste : ce sont certainement les ouvriers qui ont tenté d'incendier la colline. À qui ont-ils obéi ? Tandis que nous réfléchissons, nos regards convergent vers la piste qui s'enfonce dans la palmeraie.

« Elle conduit forcément à des bâtiments, dis-je. Peut-être y découvrirons-nous les informations que nous recherchons... »

« Alors, en route ! »

Nous nous engageons sur le chemin pierreux. Marcher longtemps avec un corps d'orang-outan n'est pas très commode. Seulement, nous devons rester en singes pour nous occuper de Sepupu. Au moindre bruit de moteur, nous nous cachons dans le palmier le plus proche. Nous avançons ainsi plusieurs heures, en nous relayant pour porter notre protégée.

Dans mes bras, Sepupu est calme et adorable, mais, dès qu'elle est portée par Noé, elle se transforme en véritable chipie. Je souris en entendant Noé râler :

« Sepupu, s'il te plaît, arrête de mettre tes doigts dans mon nez ! Aïe, Sepupu ! Tu m'arraches les poils. Sepupu, reste dans mes bras ! »

Je me retourne : Sepupu, juchée sur la tête de mon coéquipier, est en train de lui tirer les oreilles.

« Tout va comme tu veux, Noé ? »

« Parfaitement ! assure-t-il. Nous nous entendons à merveille ! »

Je réplique en riant :

« Avec les oreilles tendues comme ça, je n'en doute pas ! »

L'après-midi est bien avancée lorsque nous atteignons une route goudronnée qui mène droit à de gigantesques bâtiments.

« Je crois que nous avons trouvé l'endroit où les dattes sont transformées en huile. »

Noé parvient à regarder malgré Sepupu qui s'amuse maintenant à lui masquer les yeux. Il s'exclame :

« Nom d'une éléphante, cette usine est géante ! »

L'ensemble des bâtiments est entouré par des grillages surmontés de barbelés. La seule entrée est surveillée par un garde et fermée par une barrière mobile. Des camions ne cessent d'aller et venir.

Grâce à notre agilité d'orang-outan, nous grimpons sur le toit d'un des véhicules qui s'apprêtent à entrer. Une minute plus tard, nous sommes à l'intérieur de l'usine.

Ni vu ni connu, nous sautons du camion et nous nous embusquons dans un hangar situé face aux bureaux. L'endroit sera parfait pour espionner ce qui se trafique ici...

8
Une stratégie diabolique

Durant le reste de la journée, nous observons les allées et venues des employés. Notre attention est attirée par une fenêtre en particulier. Elle donne sur une pièce luxueuse, occupée par un homme en costume-cravate.

« C'est certainement le bureau du directeur, dis-je. Dès qu'il sera parti, nous irons le fouiller. Il nous suffira de passer par la fenêtre ; elle est entrouverte... »

« Oui, mais c'est au deuxième étage ! » fait remarquer Noé.

« Et alors ? Nous sommes des orangs-outans ! La gouttière qui monte juste à côté nous servira de liane ! »

« Bien vu, Lisa ! »

Lorsque les dernières lumières s'éteignent dans les bâtiments, Sepupu s'est endormie dans mes bras. C'est parfait : ainsi, nous n'aurons pas besoin de l'emmener avec nous. Nous l'installons à l'abri des regards, au creux d'un tas de sacs en toile. Mon coéquipier chuchote :

« Fais de beaux rêves, petite cousine. Nous reviendrons très vite. »

J'ai hâte de visiter le bureau de ce cher directeur !

Nous jetons un œil dans la cour. Personne ! Nous clopinons jusqu'au mur, nous agrippons la gouttière et entamons l'escalade à la lueur de la lune. Avec nos quatre mains, c'est fastoche !

Parvenue au deuxième étage, je tends le cou et scrute rapidement l'intérieur de la pièce pour vérifier si le directeur est bien parti. Je chuchote :

« OK, on peut entrer ! »

Un peu d'acrobatie, et *hop!* nous nous glissons à l'intérieur. Nous ne nous sommes pas trompés. L'inscription *Big boss – Will Kitu* brille sur une plaque de cuivre vissée au mur.

De nombreux dossiers sont éparpillés sur le bureau. J'allume une petite lampe et entreprends de les consulter. Un logo noir, bleu et noir retient bientôt mon attention. Je tire les feuilles vers la lumière et m'exclame :

« Noé, regarde ! »

« Le logo de la Kémico ! Que font-ils ici, ceux-là ? Remarque, ça ne m'étonne pas qu'ils s'intéressent à l'huile de palme. Dès qu'on saccage la nature, ils sont dans le coin, comme par hasard ! »

Mon cœur se met à battre à toute allure. La Kémico est la plus grande, la plus puissante et la plus riche entreprise chimique du monde. Le professeur Groscerveau assure que des centaines d'espèces ont disparu à cause de ses usines. Cependant, par manque de preuves, les dirigeants de la Kémico n'ont jamais été condamnés. Sauf il y a quelques mois, lorsque Noé et moi avons prouvé qu'ils déversaient des substances toxiques qui empoisonnaient les dauphins en Australie[1]. Nous tenons peut-être une piste intéressante !

Noé consulte en vitesse les documents que j'ai découverts, et déclare :

« Il est écrit que toutes les usines qui fabriquent de l'huile de palme appartiennent en fait à la Kémico. Mais l'information doit rester secrète. »

Pendant que je parcours fébrilement les autres dossiers, Noé allume l'ordinateur posé sur le bureau afin d'accéder à la messagerie du directeur.

« Oh, oh..., souffle-t-il. Pas de mot de passe ? Ce n'est pas prudent ça, monsieur Kitu ! »

Un mail portant à nouveau le logo noir, bleu et noir apparaît à l'écran. Il contient

---

1. Noé et Lisa ont été confrontés à la Kémico dans leur première aventure : *Dauphins en péril.*

une carte où figure la colline des orangs-outans. Un large trait rouge a été tracé au travers : voilà qui en dit long sur les intentions de la Kémico !

Noé prend connaissance du message d'accompagnement et s'écrie :

« Ce courrier provient de la direction générale de la Kémico, qui se trouve à Paris. Il est dit que la colline boisée est gênante, car elle oblige les camions à faire un détour pour se rendre sur les palmeraies implantées de l'autre côté. La direction de la Kémico demande donc d'éliminer cette colline "discrètement". »

Je bredouille, stupéfaite par cette révélation :

« Je ne comprends pas. Pourquoi, dans ce cas, Will Kitu a-t-il signé un accord promettant que la colline resterait sauvage ? »

« Ce n'est pas exactement ce qu'il a promis ! rectifie Noé. L'accord précis est inscrit sur l'une des feuilles : il affirme que la colline restera sauvage *aussi longtemps que des orangs-outans s'y trouveront.* »

Je demande :

« Qu'est-ce que ça change ? »

« Tout ! affirme Noé. Avec ces quelques mots en plus, il devient possible de se débarrasser de cette portion de jungle, sans désobéir à l'accord. Il suffit pour cela de supprimer d'abord les orangs-outans ! Et le meilleur moyen d'y arriver *discrètement*, c'est de... »

« ... détruire la forêt qui les nourrit », dis-je.

« Exactement, approuve Noé. Un bon feu "accidentel" arrangerait donc fort bien la Kémico. »

Je réfléchis un instant avant de murmurer :

« Moui... Sauf que la Kémico aurait pu incendier la colline sans signer d'accord.

Pourquoi ses dirigeants se sont-ils compliqué la vie ? »

« Le professeur l'a dit : la signature de cet accord écologique a offert à l'huile Kitu une publicité mondiale gratuite. Les ventes vont décoller ! Si, au contraire, la Kémico avait ordonné de raser la colline, les journaux auraient incité les gens à cesser d'acheter cette huile de palme tueuse des derniers orangs-outans ! »

Je m'exclame :

« Leur stratégie est vraiment diabolique ! »

« C'est un coup tordu typique de la Kémico ! » estime Noé en cliquant sur une icône afin d'imprimer le mail.

J'ajoute :

« En tout cas, avec la copie de ce courrier, j'en connais qui vont pouvoir dire adieu à leur jolie publicité ! »

Le papier est en train de sortir de l'imprimante lorsqu'un bruit de clés attire notre attention. Triple zut ! Quelqu'un s'apprête à entrer dans le bureau !

9
Une deuxième découverte

La porte s'ouvre avant que nous ayons eu le temps de nous cacher. Le plafonnier s'illumine. Un garde en combinaison jaune apparaît. Durant une seconde, il nous fixe, éberlué, puis il hurle :

– Patron ! Deux orangs-outans sont en train de consulter votre ordi !

Une voix venant du couloir répond :

– Mais bien sûr ! Il n'y a pas des éléphants roses, aussi ?

– Monsieur Kitu, je... je vous jure !

– Mon pauvre Zaqi ! soupire Will Kitu. Tu bois vraiment trop d'alcool de dattes, ces temps-ci...

Trop heureux de passer pour une illusion, nous filons par la fenêtre en emportant le mail imprimé. Nous glissons le long de la gouttière et courons récupérer Sepupu, qui est toujours endormie. Noé la prend dans ses bras sans la réveiller, et nous fonçons vers la barrière mobile.

Nous ne sommes même pas au milieu de la cour, quand Will Kitu nous aperçoit de sa fenêtre et s'écrie :

– Qu'est-ce que c'est que ce délire ? On tourne un épisode de *La planète des singes* près d'ici, ou quoi ? Attrapez-moi ces deux gugusses !

Deux secondes plus tard, une sirène retentit et tous les projecteurs de l'usine s'allument. Le garde posté à l'entrée abaisse aussitôt la barrière. Re-triple zut !

Nous devons trouver un autre moyen pour déguerpir d'ici !

Nous retournons en vitesse vers le hangar et nous nous glissons à l'arrière d'un camion bâché, rempli de caisses en bois. Pendant que Noé se faufile entre la cargaison, à la recherche d'une cachette sûre, je monte la garde :

« Comment allons-nous réussir à quitter cette usine avec Sepupu ? »

Hou, hou !

Je demande :

« Comment ça, "*Hou, hou !*" ? »

Hou, hou !

« Noé, tu peux me répondre autrement que par des bruits de singe, s'il te plaît ? Ce n'est pas le moment de jouer ! »

HOU, HOU, HOU !

Je me retourne, exaspérée :

« Ma parole, tu cherches à nous faire repérer, ou quoi ? »

La fin de ma phrase reste en suspens. Les sons ne proviennent pas de Noé, mais d'une caisse ajourée de la taille d'une machine à laver, que je distingue à peine dans l'obscurité. Je m'approche et émets à mon tour un petit *Hou ?* étonné. Des doigts apparaissent entre les planches.

« Noé ! Il y a un orang-outan adulte dans une caisse près de moi ! D'après sa voix, je crois qu'il s'agit d'une femelle. Il faut la libérer ! »

Il n'y a ni verrou ni cadenas. Les planches ont été clouées. Je tente d'en arracher une, mais mon coéquipier revient du fond du camion et m'arrête :

« Lisa, attends ; nous avons tous les ouvriers à nos trousses. En plus, cette femelle adulte ne nous suivra jamais de son plein gré jusqu'à la colline. Il vaut mieux qu'elle reste enfermée pour l'instant, tu ne crois pas ? »

Noé a raison. Pas question, pourtant, de la laisser là. Il réfléchit à toute vitesse et propose :

« Tu pourrais te retransformer en rhinocéros. Je chargerais la caisse sur ton dos. Ensuite, tu défoncerais la barrière, et on filerait à la colline ! »

Pour cela, Noé doit être capable de soulever la caisse. Il essaye, mais ne parvient à la décoller que de quelques centimètres au-dessus du sol.

« Elle est trop lourde », soupire-t-il.

Je l'interromps :

« Laisse tomber. De toute façon, nous nous sommes déjà trop fait remarquer. J'ai une autre solution, plus discrète... Prends Sepupu et suis-moi ! »

10
Les grands moyens

Je quitte la remorque et clopine vers l'avant du camion. J'ouvre la portière côté conducteur et...

Double gloups ! Le chauffeur est à l'intérieur !

Il me regarde entre ses paupières à moitié closes, brandit une bouteille et bafouille d'une voix molle :

– Salut, ma b... beauté ! Tu viens boire un coup avec le vieux Budi ?

« Ma beauté » ? Qu'est-ce qu'il raconte ?

Il aperçoit Noé et ajoute :

– Oh, t'es avec une copine ! Vous avez frappé à la bonne porte, j'adore les rouquines !

« Il est ivre mort, constate mon équipier. Il nous prend pour des femmes. »

Tout sourire, le chauffeur me dévisage et murmure :

– T'as de grands yeux, tu sais...

Puis il boit au goulot une énorme lampée d'alcool et il s'effondre sur son volant.

Je soupire, soulagée :

« Ouf ! Le problème est réglé ! Gardons cet homme avec nous, il pourrait nous servir. »

Je pousse l'ivrogne afin de prendre place, à côté de lui, sur le siège conducteur :

« Monte de l'autre côté, Noé. Je vais démarrer. Ce camion va nous sauver ! »

« Tu es sûre ? Nous sommes des Bionautes, pas des... *Camionautes* ! »

« Justement ! Ils cherchent de vrais singes ; ils n'imagineront jamais que nous sommes capables de conduire un poids lourd ! »

Je tourne la clé de contact. Le moteur se met à ronfler, les phares s'allument. Voyons... la pédale de droite est l'accélérateur, celle du milieu, c'est le frein. La troisième pédale, par contre, je ne me souviens plus de son utilité. Tant pis !

« J'ignorais que tu savais conduire », souffle Noé en s'installant sur la banquette avec, dans ses bras, Sepupu toujours endormie.

« Je m'y connais juste un peu, dis-je. Quand j'étais petite, mon père me prenait sur ses genoux pour rouler en tracteur dans les prairies près de notre ferme. Et puis, c'est forcément moins compliqué que de piloter une navette. »

Mon coéquipier attache précipitamment sa ceinture.

« Que se passe-t-il, Noé ? Aurais-tu peur des filles au volant ? »

« Je n'en crains qu'une seule, réplique-t-il. Une certaine Lisa : la spécialiste des loopings en huit hyper serrés ! Tu n'en as jamais entendu parler ? »

« Mauvaise langue ! Je vais te montrer de quoi je suis capable. En avant ! »

Je pousse le levier de vitesse au hasard. Le moteur émet un craquement bref, et le camion part à reculons dans un tas de dattes.

BOUM !

« Ça, c'était : "En arrière !" », commente Noé.

Je pousse le levier de l'autre côté. Cette fois, nous partons dans le bon sens. Mes longs bras d'orang-outan sont parfaits pour tourner le large volant. Nous traversons la cour, où de nombreux hommes vont et viennent avec des lampes de poche.

Noé se réjouit :

« Nom d'un pélican, c'est géant ! Personne ne fait attention à nous ! »

J'ajoute :

« J'espère qu'ils vont nous ouvrir la barrière. Zut de zut ! Le garde nous fait signe de stopper... »

« Obéis-lui, conseille Noé. Il fait nuit, et la cabine n’est pas éclairée. À condition que nous restions loin du pare-brise, il ne nous verra pas. »

Mon coéquipier saisit par le col le chauffeur ivre mort affalé près de moi. Il le redresse et lui approche la tête de la vitre, afin que le garde puisse l’entrevoir malgré l’obscurité.

– Salut, Budi ! lance le gardien. On cherche deux orangs-outans. Tu permets que je jette un coup d'œil à l'arrière de ton camion ?

En guise de réponse, Noé agite la main de Budi.

Trente secondes plus tard, la barrière se lève. Nous quittons l'usine. Nous avons réussi !

11
Une dernière surprise

Nous filons sur la piste à la lueur des phares. Grâce au camion, nous rejoindrons la colline en moins d'une heure. Sepupu et Budi ronflent de concert. La première, dans les bras de Noé ; le second, appuyé contre mon épaule.

« Nous avons chacun notre gros bébé », dis-je.

« Je préfère de loin le mien ! » assure mon coéquipier.

Nous rions et j'ajoute, satisfaite :

« Nous avons fait du bon travail ! »

« On peut le dire ! approuve Noé. Nous avons retrouvé Sepupu, récupéré un orang-outan adulte qui avait été capturé, et obtenu des documents qui vont valoir à la Kémico une nouvelle condamnation. »

« Dès que nous serons revenus à la navette, j'enverrai les informations par satellite au professeur. Il saura comment les utiliser. Il nous indiquera aussi un refuge où Sepupu pourra être élevée avant d'être remise en liberté. »

Dans la nature, les orangs-outans dorment plus de quatorze heures par jour. Tout en conduisant, je sens que le sommeil me gagne. Lorsque nous arrivons au bout de la piste, je coupe le moteur et propose que nous nous reposions jusqu'au petit matin. Pas de danger que Budi nous pose problème : vu son état, il va cuver son alcool toute la nuit !

« Je suis impatiente de relâcher la femelle, dis-je. Mais, si nous le faisons dans le noir, elle risque de se perdre. »

« De toute façon, ajoute Noé, j'ai besoin de lumière pour ouvrir la caisse, et je meurs de fatigue, moi aussi. »

Nous sommeillons quelques heures dans la cabine. J'ouvre les yeux aux premiers chants des oiseaux. Sepupu est revenue dans mes bras durant la nuit, elle me fixe de ses yeux si attendrissants. Quel dommage que nous n'ayons pas pu sauver sa mère...

Je secoue doucement Noé :

« Debout, le dormeur ! Nous devons filer avant le réveil de Budi ! »

« Non..., grommelle mon coéquipier sans desserrer les paupières. Encore dodo. »

« Ouvre les yeux, gros nigaud ! Nous sommes en mission ! »

Mais il se remet à ronfler.

Bon, il ne me laisse pas le choix : je pose Sepupu sur son ventre. Aussitôt, la petite chipie lui saisit les oreilles et tire de toutes ses forces.

« Hein, quoi ? » s'écrie Noé.

« Nous avons du travail, monsieur le ronfleur ! »

Il me dévisage, contemple ses interminables bras :

« C'est vrai, nous sommes toujours en orangs-outans. Je rêvais que j'étais dans mon lit, à la maison. »

Nous descendons sans bruit du camion. Le moment est venu de libérer la femelle prisonnière.

« Il y a souvent un coffre extérieur avec de l'outillage sur ce genre de véhicule », explique Noé en se mettant à chercher.

« C'est sûr, dis-je, une bonne pince nous donnerait un coup de main ! »

Il ouvre un coffret fixé entre les roues, en sort une solide barre de métal terminée par une crosse, et rétorque :

« Personnellement, je préfère un coup de pied... Un coup de pied-de-biche, bien entendu ! »

Équipés de cet outil, nous montons à l'arrière du camion. La femelle sent aussitôt notre présence et elle émet les mêmes *Hou, hou!* que durant la nuit. Immédiatement, Sepupu quitte mes bras et avance jusqu'à la cage en produisant de petits gémissements aigus.

Nous nous figeons, stupéfaits, car, en langage orang-outang, ces sons signifient : « Maman, tu es là ? » S'agirait-il de sa mère ?

L'instant d'après, la prisonnière passe une main entre deux planches. Sans hésiter, la petite Sepupu s'en empare et la serre doucement. Je regarde leurs doigts enlacés et j'en suis bouleversée. Des humains qui s'aiment auraient eu des gestes identiques... C'est incroyable !

Sans plus attendre, mon coéquipier positionne le pied-de-biche entre deux planches et fait levier. Sous la pression de la barre de fer, les vis cèdent avec fracas. À la seconde planche ôtée, la femelle s'extrait de la caisse exiguë. Sepupu saute dans ses bras et se blottit contre son cou pour échanger le câlin le plus touchant qui soit.

Ces retrouvailles étaient inespérées. Je chuchote, émue :

« Aucun doute possible : cette femelle est Nenek, la mère de Sepupu ! Les ouvriers l'avaient sûrement capturée avec leur filet sur le chantier. Voilà pourquoi elles ont été séparées ! »

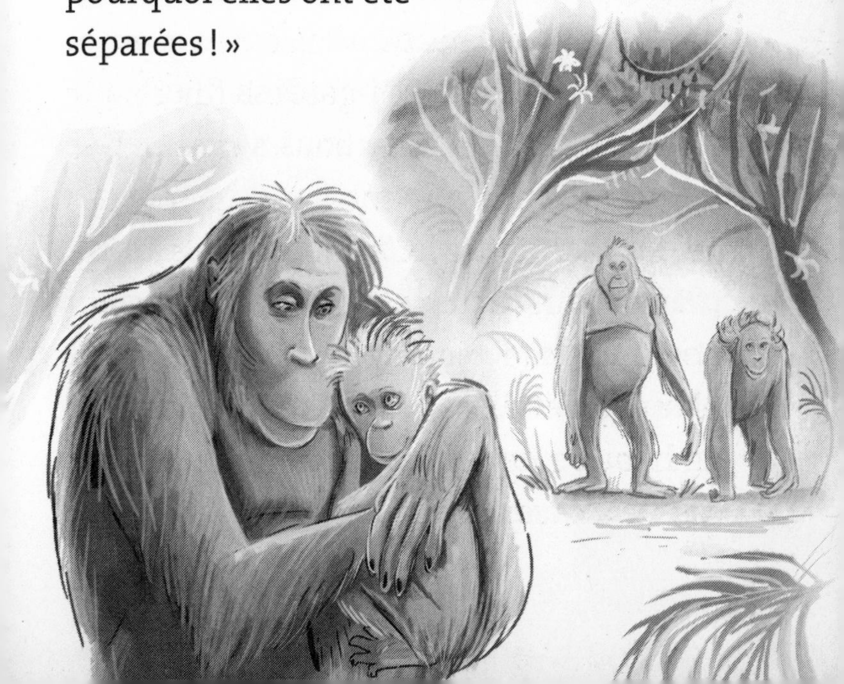

Noé semble aussi attendri que moi. Il soupire :

« Voir ces deux-là réunies, c'est la plus belle récompense que nous pouvions avoir ! »

« Bien parlé ! »

Nous écartons la bâche afin de les inviter à fuir. Nenek, un moment éblouie, cligne des yeux à la lumière du soleil levant. Puis elle descend de la remorque et se hâte vers la colline en tenant solidement Sepupu dans ses bras, comme pour s'assurer qu'elle ne perdra plus jamais sa fille.

Noé et moi les regardons s'éloigner, le cœur battant.

Une petite partie de la colline a brûlé, mais la jungle reste assez étendue pour nourrir tous les orangs-outans que nous avons rencontrés. Grâce aux documents que nous allons remettre au professeur, la Kémico va être sanctionnée, et Will Kitu n'osera plus couper d'arbres ou allumer d'incendies.

Notre mission est terminée. Nous pouvons rentrer.

Une heure plus tard, nous sommes dans notre navette. Bien que nous ayons retrouvé nos corps d'humains, mon coéquipier semble avoir conservé certaines habitudes de nos cousins. Par exemple, il ne cesse d'émettre des *Moûg, moûg, moûg !* et de toucher à tout. Je finis par râler :

– Tu peux arrêter de faire le singe, s'il te plaît ?

Il rétorque :

– Mais les hommes sont des singes ! Les moins poilus et les plus débrouillards, mais des singes quand même ! En plus, c'était tellement marrant de faire toutes ces acrobaties et de se nourrir de fruits...

Je réponds :

– Tu veux encore rigoler ? Alors, j'ai une devinette pour toi. Je viens de l'inventer : « Monsieur et madame Houten ont un fils : comment s'appelle-t-il ? »

– Facile ! s'exclame Noé. C'est L...

– Chut ! Laisse ceux qui lisent nos aventures deviner la réponse !

Cher lecteur,
maintenant que tu as lu
Panique chez les orangs-outans,
tu es incollable sur ces grands singes.
La preuve ?
Voici un petit questionnaire
VRAI ou FAUX.

1) Les orangs-outans sont nos cousins.

● Vrai

o Faux

2) Actuellement, les orangs-outans ne sont pas en danger.

o Vrai

● Faux

3) Les orangs-outans ont quatre mains.

● Vrai

● Faux

4) Les orangs-outans possèdent un langage élaboré.

● Vrai

o Faux

5) Les orangs-outans ne parlent pas tous la même langue.

● Vrai

o Faux

6) Le plus petit fruit du monde est le jaque.

o Vrai

● Faux

7) Les orangs-outans sont des singes peu intelligents.

o Vrai

● Faux

8) Les orangs-outans dorment par terre.

o Vrai

o Faux

9) Les hommes sont les seuls à utiliser des outils.

o Vrai

o Faux

RÉPONSES

1) VRAI. Ce sont les singes les plus proches de nos ancêtres, les hommes préhistoriques. Tu les trouves pourtant plus poilus que nous ? Eh bien, sache que nous avons autant de poils que les grands singes. La seule différence est que les nôtres sont plus courts, sauf au niveau des cheveux, bien entendu ! Si tu en doutes, regarde ta peau de tout près. Tu verras que nous avons aussi une « fourrure », même sur le ventre et le dos.

2) FAUX. Les forêts où ils vivent sont remplacées par des plantations de palmiers à huile. Ils sont également chassés comme du gibier ou capturés pour devenir des animaux de compagnie. Les spécialistes estiment que mille orangs-outans meurent chaque année à cause des hommes. Il est urgent d'agir pour protéger la jungle qui les abrite !

3) VRAI ET FAUX. Ils ont, comme nous, deux mains et deux pieds. Mais leurs gros orteils sont « opposables » ; cela signifie qu'ils peuvent faire face aux autres orteils et permettent de saisir des objets. Bref, à moins que tu sois Bionaute, n'essaye pas de te suspendre par les pieds, comme Noé : tu n'y arriverais pas !

4) VRAI. À ce jour, une trentaine de sons différents ont été identifiés. Quelques-uns seulement sont évoqués dans cette aventure. Amuse-toi à t'en souvenir et à les utiliser ! Tu verras, parler orang-outang, c'est vraiment amusant ! *MOÛG, MOÛG, MOÛG !*

5) VRAI. Un même cri peut signifier des choses différentes selon la région où vivent les orangs-outans. Cela veut dire que les petits orangs-outans apprennent à parler au contact des adultes, exactement comme cela se passe chez les humains !

6) FAUX, c'est le plus gros. Ce fruit peut atteindre cinquante kilos ; il est alors plus lourd que toi. Il y a de quoi manger ! Mais, attention, ne fais jamais la sieste sous un jaquier !

7) FAUX. Les orangs-outans sont, par exemple, très observateurs, et ils adorent imiter les hommes. Dans les refuges où ils sont soignés, certains volent les savons et les utilisent pour se nettoyer. D'autres jouent avec les allumettes. Un jeune mâle a même défait le nœud qui tenait une pirogue attachée, puis il s'est installé à bord de l'embarcation et a utilisé la pagaie pour passer sur la rive d'en face.

8) FAUX. Chaque soir, chaque adulte se construit un nid dans les arbres en utilisant des branches et des feuillages. Lorsque le temps est pluvieux, il aménage même un toit.

9) FAUX. Plusieurs animaux le font également. Les orangs-outans taillent des branches de différentes manières, pour capturer les insectes logés dans des trous ou pour retirer les graines des fruits. Plus drôle encore : sur l'île de Bornéo, certains mâles ont trouvé une astuce pour se donner une voix de géant, c'est-à-dire très grave, très impressionnante. Ils y parviennent en tenant des feuilles devant leur bouche lorsqu'ils émettent leurs baisers grinçants. D'autres ont trouvé le moyen de plier des feuilles dans leur bouche pour les transformer en petits gobelets. Cet origami très original leur permet de puiser l'eau piégée au fond des troncs d'arbres à la saison sèche. Malin, n'est-ce pas ?

Voilà, c'est terminé ! J'espère que nous nous retrouverons dans une prochaine aventure. En attendant, n'oubliez pas : la nature est la grande maison de tous les êtres vivants. En prendre soin, c'est donc prendre soin de nous !

J.-M. D.

Cet ouvrage a été mis en pages
par DV Arts Graphiques à La Rochelle

Imprimé par Novoprint
en septembre 2013

pour le compte des Éditions Bayard

Imprimé en Espagne